Le bonheur,
c'est si simple

C.P. 325, Succursale Rosemont
Montréal (Québec), Canada H1X 3B8
Téléphone: (514) 522-2244
Télécopieur: (514) 522-6301
Courrier électronique: pnadeau@edimag.com

Éditeur: Pierre Nadeau
Mise en pages et couverture: Josée Veillette,
Jean-François Gosselin

Dépôt légal: quatrième trimestre 1999
Bibliothèque nationale du Québec
Bibliothèque nationale du Canada

© 1999, Édimag inc.
Tous droits réservés pour tous pays

ISBN: 2-89542-003-3

Le bonheur,
c'est si simple

Canada

Nous reconnaissons l'aide financière du gouvernement du Canada par l'entremise du Programme d'Aide au Développement de l'Industrie de l'Édition (PADIÉ) pour nos activités d'édition.

Introduction

Tous nous sommes à la recherche du bonheur et plusieurs d'entre-nous l'avons trouvé, perdu et retrouvé à nouveau, un bonheur est éphémère me direz-vous! Et bien, je vous propose de prendre quelques instants pour lire mes réflexions et mes pensées qui peut-être vous permettront d'atteindre le bonheur ou du moins savoir le reconnaître.

Bonne lecture...

DISTRIBUTEURS EXCLUSIFS

Pour le Canada et les États-Unis
Les Messageries ADP
955, rue Amherst
Montréal (Québec) H2L 3K4
Téléphone: (514) 523-1182
Télécopieur: (514) 939-0406

Pour la Suisse
Transat S.A.
Route des Jeunes, 4 Ter
C.P. 1210
1 211 Genève 26
Téléphone: (41-22) 342-77-40
Télécopieur: (41-22) 343-46-46

Pour l'Amérique du Sud
Amikal
Santa Rosa 1840
1602 Buenos Aires, Argentine
Téléphone: (541) 795-3330
Télécopieur: (541) 796-4095

Le bonheur

c'est apprécier la vie.

*L*e bonheur c'est
PRENDRE
CONSCIENCE
de ce que j'ai.

Le bonheur c'est reconnaître l'acte Divin dans chaque chose.

*L*e bonheur c'est
regarder une FLEUR
**soupirer de
bonheur** quand on la
cueille.

*L*e bonheur

c'est savoir

apprécier

ses amis

à leur juste valeur.

Le bonheur

c'est reconnaître

la beauté

même dans ce qui est laid.

Le bonheur c'est

prendre contact

avec SON

ÂME

pour la

première fois.

*L*e bonheur c'est

reconnaître que

l'abondance existe

pour tous.

*Le bonheur c'est
d'éviter de critiquer
même si l'occasion
se présente.*

*L*e bonheur c'est
savoir que J'ÉVOLUE
CHAQUE JOUR,
même si cela ne paraît
pas toujours.

Le

bonheur

c'est prendre

le temps

de planifier

mes vacances.

Le bonheur
c'est sourire
un peu plus
chaque jour.

Le bonheur c'est
reprendre CONTACT
avec de VIEUX AMIS
que nous avions perdus
de vue.

Le bonheur c'est suivre
mon chemin, même s'il
n'est pas évident.

*Le bonheur c'est
d'avoir le pouvoir
de changer
mon attitude.*

Le bonheur c'est
de réaliser un rêve.

*L*e bonheur

c'est savoir

REMERCIER

quand j'ai

besoin d'aide.

Le bonheur

c'est d'accepter

tous les **cadeaux**

que m'offre

la vie.

Le

bonheur c'est
recevoir des *fleurs*
sans raison
particulière.

Le bonheur c'est rire
de bon coeur en agréable
compagnie.

Le bonheur c'est
garder **courage même
dans l'adversité**.

*Le bonheur c'est
planifier des moments
de tendresse.*

*L*e bonheur c'est

SAVOIR

ÉCOUTER

LES AUTRES

sans interrompre,

car ils en ont besoin.

Le bonheur
c'est découvrir des
HORIZONS nouveaux.

*Le bonheur
c'est de toujours
garder espoir.*

Le bonheur

c'est de savoir regarder

👁 👁   AU-DELÀ

des choses.

Le bonheur
c'est d'avancer
à petits pas un peu
plus chaque jour
jusqu'au grand saut.

Le bonheur c'est
se voir FRANCHIR
DES OBSTACLES que
nous avions nous-mêmes
placés sur notre chemin.

Le

bonheur

c'est reconnaître

l'amour

quand il se présente.

*Le bonheur c'est
savoir relever des défis,
même si cela nous fait peur.*

Le

bonheur

est d'être

toujours vrai,

surtout

avec soi-même.

Le bonheur c'est savoir utiliser les outils que la vie place sur notre chemin.

*L*e bonheur

c'est de

savoir dire

JE T'AIME...

*Le bonheur c'est
d'avoir des petits moments
d'attention pour ceux
qu'on aime.*

*P*our trouver

le bonheur

il ne suffit que

de REGARDER.

*L*e bonheur c'est
de savoir faire confiance.

*L*e bonheur c'est
de savoir encore
m'émerveiller,
surtout
si j'ai pris de l'âge.

Le bonheur c'est
de confronter
ses peurs
pour
les dépasser.

*L*e bonheur

c'est de laisser

la CHANCE

aux autres de dire

qu'ils nous aiment.

*N*e cherche pas

le chemin du

bonheur,

le bonheur

est le chemin.

Le bonheur
c'est vaincre
ses angoisses
et vivre
le moment présent.

*L*e bonheur c'est
être moi en tout temps.

Le bonheur c'est
accepter le déroulement
de LA VIE
SANS CRAINTE,
NI PANIQUE.

Le bonheur c'est
d'accepter que
quelquefois
il y a des pertes.

*L*e bonheur c'est profiter de **mes moments de solitude** pour enfin faire des choses **pour moi seulement.**

*L*e bonheur c'est
d'avoir assez
de discernement
pour admettre que
nous aussi nous faisons
des erreurs.

Le bonheur

c'est savoir oublier...

*L*e bonheur c'est

avoir suffisamment

de foi dans les

bons moments

que dans les mauvaises

passes.

Le bonheur c'est
d'avoir l'humilité
nécessaire pour
admettre nos défauts.

*Le bonheur vaincra
toujours sur tes peurs,
si tu lui laisses
la chance.*

Le bonheur
c'est profiter
du temps présent,
car HIER n'existe plus
et DEMAIN n'existe pas
encore.

*L*e bonheur
c'est savoir
encore rêver.

Le bonheur c'est
accepter les limites
que nous avons,
car elles ne sont
que momentanées.

*L*e bonheur

c'est avoir assez

de grandeur d'âme

pour PARDONNER.

Le

bonheur

c'est avoir

encore

la simplicité

d'un **enfant**.

Le bonheur c'est
savoir changer
son comportement
au bon moment.

*Le bonheur n'est pas
de tout comprendre,
mais* **tout
simplement
de ne pas juger.**

*A*ccepter l'évolution
des choses fait partie
des bonheurs de la vie.

Le bonheur
c'est regarder
le papillon butiner
et rêver
que nous sommes
comme lui, libre.

Le bonheur c'est
utiliser ses talents
au lieu de les laisser
dormir.

*L'enfant nous
donne l'impression
qu'il vit un bonheur perpétuel,
pourquoi? C'est simple,
il croit toujours
en ses rêves, lui...*

Le bonheur

c'est écouter

son INTUITION

et non sa RAISON.

Le bonheur c'est regarder ce que l'on a accompli et non ce qu'il nous reste à faire.

*L*e bonheur c'est laisser L'ESPOIR devenir **l'artisan de mes attentes.**

*L*e bonheur
c'est quelquefois
se TRANSCENDER
SOI-MÊME.

*L*e bonheur se trouve
à l'intérieur de toi,
arrête de chercher
ailleurs.

Le bonheur c'est savoir
regarder les choses avec
des yeux nouveaux.

*L*e bonheur c'est
d'être MAÎTRE DE
SOI et non des autres.

*Le bonheur c'est
d'être prêt, à tous moments
de sacrifier ce que je suis,
pour ce que je peux devenir.*

Le bonheur c'est

m'accepter tel que

JE SUIS.

*Le bonheur implique
que je m'aime assez pour
me respecter.*

Le bonheur c'est de regarder **nos pensées se matérialiser**.

Le bonheur c'est
d'ACCEPTER
L'INATTENDU
et en profiter
au maximum.

*Le bonheur c'est
partager ses visions
et laisser les autres
développer les leurs.*

Le

bonheur

c'est d'aimer

mon travail,

car il m'apporte plus

que mon salaire.

*L*e bonheur c'est
de posséder plusieurs
petits BUTS et de
les ACCOMPLIR
un à un.

Le bonheur c'est
reconnaître que
le négatif existe,
mais de décider
de ne pas lui ouvrir
la porte.

*L*e bonheur c'est
quelquefois faire un bon
ménage autour de soi,
pour apprécier par
la suite tout ce que
je possède.

*L*e bonheur c'est
savoir faire les efforts
nécessaires pour me
libérer de mes attentes.

Le bonheur

c'est de posséder

l'humour

nécessaire pour

surmonter les choses

de **la vie**.

Le bonheur c'est
posséder le pouvoir
de changer
à tout moment
qui je suis.

Le bonheur

c'est de contempler

un *clair de lune*.

*L*e bonheur c'est
d'apprendre à relever
des défis afin de créer
un mouvement et fuir
la stagnation.

Le
bonheur
c'est d'avoir
un **coeur pur**.

*Le bonheur c'est
d'être à la campagne
et de savourer la nature.*

Le bonheur c'est

avant tout un état

d'être

pour SOI.

*L*e bonheur c'est poser
des GESTES SIMPLES
sans les justifier.

*Le bonheur c'est
de ne pas arrêter
le processus
de l'évolution,
mais d'y participer.*

*L*e bonheur c'est
**regarder
la réalité**
pour ce qu'elle est.

*L*e bonheur

c'est laisser partir

ses ILLUSIONS,

pour comprendre

la vérité.

*L*e bonheur c'est
remplir mes obligations
et ne pas me laisser
étourdir par celles
des autres.

Le
bonheur c'est
accueillir le **succès**
grandement mérité.

*L*e bonheur c'est
posséder la paix de l'âme.

Le bonheur
c'est savoir
être disponible pour soi.

*L*e bonheur est sans
limites, il est infini.

*Le bonheur c'est
savoir faire les choses
maintenant et non
remettre à demain.*

Le

bonheur aime

se laisser cueillir

comme

un **fruit**.

*L*e bonheur n'aime pas
la colère, il fuit avant
même que celle-ci prenne
naissance.

Le bonheur aime la vie

et tout ce qui est vivant.

Accepter ses faiblesses
c'est ouvrir la première porte
du bonheur.

*Q*uand j'utilise
ma conscience
j'ouvre les portes
de mon coeur
et je multiplie mes
chances au bonheur.

Le bonheur
c'est savoir
reconnaître
la lumière
dans
chaque chose.

*Le bonheur c'est
accepter de recevoir.*

*L*e bonheur c'est que
chaque jour est un jour
nouveau et que chaque
jour naît un ESPOIR
NOUVEAU.

*Le bonheur est
de comprendre
que je suis
le seul responsable
de la façon dont
je vis les choses.*

*L*e bonheur
est si simple que
parfois **je ne
vois pas** ce

qui est pourtant
évident.

*Le bonheur c'est
le changement,
la stagnation
c'est l'ennui.*

*L*e bonheur de Dieu

est que tu penses à lui.

Le bonheur c'est prendre du temps, m'asseoir dans un parc et simplement laisser le temps passer.

*L*e bonheur c'est
profiter d'une excellente
lecture et d'exalter mon
imagination.

*L*e bonheur c'est réussir

à éliminer une ancienne

crainte et de connaître

le POUVOIR

DE VAINCRE.

Le bonheur c'est

se *laisser guider*

par son intuition.

*Si tu cherches
le bonheur, laisse Dieu
t'aider, car le plaisir
de Dieu est de donner.*

Le

bonheur c'est

de reconnaître

que la vie

est un **jeu**

et le jouer.

*L*e bonheur c'est
reconnaître la
manifestation Divine
en chaque chose.

*L*e bonheur
provient
de l'INTÉRIEUR
et non de
l'EXTÉRIEUR.

Le bonheur est d'avoir
assez de **discernement** *pour*
ne pas
se laisser manipuler.

*L*e bonheur c'est
se laisser guider
par les coïncidences.

*L*e bonheur c'est

reconnaître que DIEU

n'a rien créé d'inutile

et d'arrêter de juger.

*Le bonheur
c'est rêver d'aimer
et d'aimer rêver.*

Le bonheur
c'est **apprécier**
chaque moment
de liberté.

*L*e bonheur n'est pas

d'agir au gré de

mon bon vouloir,

mais de VOULOIR

faire ce que je peux

de mon mieux.

Le

bonheur

c'est savoir

que l'IMPOSSIBLE

est POSSIBLE.

*L*e bonheur c'est
d'être **toujours
conscient**.

*L*e bonheur c'est
de ne m'accrocher à rien,
car tout ce qui m'entoure
ne m'est que prêté.

Le bonheur c'est
de savoir reconnaître
l'âme-soeur quand
elle croise mon
chemin.

Le bonheur c'est
faire ce que tu crois
juste et bon.

Quand tu as le bonheur dans ta vie, n'oublie pas de le cultiver pour qu'il reste longtemps.

Te tromper fait partie
de la vie, l'accepter
c'est ouvrir *une porte*
sur le bonheur.

Le

bonheur

c'est être patient

sans toutefois

être niaiseux.

Un bonheur en attire
un autre, donc ne sois
pas surpris.

Le bonheur c'est
de rendre VISIBLE
L'INVISIBLE.

*L*e bonheur c'est
d'expérimenter
le nouveau pour
se départir des
HABITUDES
RÉPÉTITIVES.

Le bonheur c'est
de savoir que seulement
ce que tu penses de toi
est vraiment important.

Le bonheur c'est d'agir
et d'arrêter d'en parler.

*L*e bonheur c'est savoir
se détacher
des gens que
l'on aime pour
les regarder voler
de leurs propres ailes.

*L*e bonheur c'est de
décider pour soi-même
et **non laisser
les autres décider
pour nous.**

Le bonheur s'installe
toujours après une peine.

*Le bonheur c'est
parler des ses émotions
à des gens de confiance.*

*L*e bonheur c'est savoir
que *je ne suis jamais
seul*, mon ANGE
GARDIEN
m'accompagne **toujours.**

*L*e bonheur c'est
comprendre que
nous avons toujours
le CHOIX.

*L*e bonheur

c'est savoir oublier

plutôt que blâmer.

Le bonheur c'est savoir
que tout ce que l'on a semé
revient un jour.

Le

bonheur

c'est vraiment vivre

de *bons*

moments

et non de se faire croire

que tout est parfait.

Le bonheur c'est
comme les miracles,
nous n'en avons
jamais assez.

*Le bonheur c'est
donner ma parole
et savoir que je vais
la tenir.*

*L*e bonheur apporte
toujours la **sagesse**
et la **sagesse**
apporte toujours le
bonheur,
par où voulez-vous
commencer?

*L*e bonheur c'est
savoir que des ÊTRES
SUPRÊMES guident
mes pas.

*L*e bonheur

c'est la capacité

et la SAGESSE

de faire confiance

à la VIE.

*Le bonheur c'est
savoir saisir les
opportunités quand
elle passent.*

*L*e bonheur c'est

agir spontanément

selon son coeur.

Le bonheur c'est
de savoir que coûte
que coûte
j'accomplirai
mon destin.

Le bonheur c'est d'accepter les enseignements que la vie nous apporte.

Sois prêt, car le bonheur
surprend toujours.

*Le bonheur c'est
reconnaître que la vérité
se trouve à l'intérieur de nous
et non à l'extérieur.*

Si

tout était parfait,
le *bonheur*

n'existerait pas.

Si tu écoutes ton coeur

et non ta tête, tu ne

perdras pas de temps

à agir sans amour,

là réside le bonheur.

*L*e bonheur c'est

nourrir ses QUALITÉS

suffisamment pour

que nos DÉFAUTS

meurent de faim.

Avec le bonheur, le doute n'a plus aucune place, où le bonheur est, le doute prend le large.

*Donner, attire
le bonheur, ce qui compte
vraiment ce n'est pas
ce que l'on donne, mais
l'amour avec lequel
on le donne.*

*L*e bonheur c'est
savoir que chaque jour
je me rapproche
de l'ÉTERNEL.

Le bonheur c'est comme **une longue méditation** *qui ne veut pas vous quitter.*

Le bonheur c'est
partager son savoir
pour en faire profiter
les autres.

*L*e bonheur c'est savoir
que la vie nous aime
assez pour nous envoyer
plein d'EXPÉRIENCES,
à nous de choisir celles
qui nous conviennent.

Le bonheur
c'est prendre
conscience
que DIEU,
ne me veut
que du bien.

*L*e bonheur c'est
d'établir des bases solides
pour mon FUTUR,
sans oublier mon
PRÉSENT.

Le bonheur c'est savoir s'entourer de gens sincères, car il y a ceux **qui croient en vous** *et ceux* **qui mettent une croix sur vous**.

*L*e bonheur c'est
SAVOURER
pleinement
nos réalisations
comme s'il s'agissait
d'un bon repas.

Le bonheur c'est

de toujours s'attendre

au *meilleur*.

Avez-vous remarqué
que quand vous
partagez un problème
il se divise, s'amoindrit et
quand vous partagez un
bonheur, il se multiplie.

Le bonheur c'est savoir
que nous avons des alliés
à notre cause, quelle
qu'elle soit.

Le bonheur c'est
savoir **lire dans
le regard des gens.**

Le bonheur
c'est rêver qu'à
chaque jour
tu es au bord de l'océan.

Le
bonheur **suprême**

c'est de vivre

amour réciproque.

*L*e bonheur c'est
regarder un bon film
et de laisser libre cours
à ses sentiments.

*Le bonheur c'est
écouter la nature
nous parler.*

Le

bonheur c'est

écrire, dessiner,

peindre

et exprimer ce

que mon âme ressent.

*L*e bonheur c'est
l'EXPÉRIENCE de ne
pas répéter les mêmes
erreurs.

*P*our être heureux

vous devez VAINCRE

vos peurs et de là

naîtra le bonheur.

Le bonheur
c'est donner, et donner
c'est aussi partager ce que
l'on est, ce que l'on sait,
pas seulement ce que l'on a.

*L*e bonheur c'est
comme ouvrir un cadeau,
il ne cesse de nous
émerveiller.

*S'il est vrai que le bonheur
des uns fait le malheur des
autres, il faut en comprendre
que certains choisissent
le bonheur et que d'autres
ne sont pas prêts à faire
ce choix.*

*L*e bonheur c'est
exprimer sa tendresse
et laisser les autres
exprimer la leur aussi.

*L*e bonheur c'est
accepter l'inconnu
et ce qu'il nous réserve.

*Le bonheur c'est
un calme majestueux
et doux qui se manifeste
par la paix de l'esprit.*

*L*e bonheur c'est faire

des incertitudes un

MAGNIFIQUE FEU

pour qu'elles s'envolent

et qu'elles laissent place

à ce qui est.

*L*e bonheur c'est
DÉCOUVRIR
QUE MA FORCE
D'ÂME équivaut
à celle de mon coeur.

*Le bonheur n'est pas
une destination,
mais une manière de vivre.*

Le bonheur
c'est découvrir
qui je suis
pour augmenter
mon estime
de moi.

*Le bonheur c'est
de découvrir qu'à la surface
réside ce que tu sembles être
et qu'à l'intérieur réside
ta vraie nature.*

Le bonheur c'est
de savoir que la peur
nous indique simplement
que nous sommes prêts
à passer à autre chose.

*L*e bonheur s'inspire

de la FRANCHISE,

si tu veux le garder

sois franc en tout temps,

car le MENSONGE

le fait fuir.

Le bonheur c'est être flexible, souviens-toi que **seul la flexibilité résiste au vent.**

*L*e bonheur c'est
découvrir que le plus
beau trésor se cache
à l'intérieur de nous
et il s'appelle l'âme.

Le bonheur c'est savoir
vivre pleinement comme
si je possédais l'éternité
devant moi tout en étant
prêt à partir à tout
moment.

*L*a CHARITÉ s'inspire

du bonheur, ceux qui

connaissent le bonheur

sont CHARITABLES.

Conclusion

Le bonheur c'est ce que tu crois juste et bon. Ne pas juger, ne pas chercher le négatif, ne pas sauter aux conclusions trop rapidement et te permettre d'observer. Par cette observation, tu découvriras que le bonheur se trouve presque partout sur ton chemin et si tu sais écouter ton intuition tu verras le bonheur s'installer dans ta vie et tu sauras le reconnaître. Quand le bonheur s'installe il reste pour longtemps, à toi de lui ouvrir la porte de ton cœur, parce que lui t'ouvrira son âme qui est un élément essentiel

Demandez notre catalogue
ET, EN PLUS, recevez un
LIVRE CADEAU

*et de la **documentation sur nos nouveautés***†*

<u>Des frais de poste de 3 \$</u> sont applicables. Faites votre chèque ou mandat-poste à l'ordre de Édimag inc.

Remplissez et postez ce coupon à Édimag inc.
C.P. 325, Succursale Rosemont, Montréal, QC,
CANADA   H1X 3B8

LES PHOTOCOPIES ET LES FAC-SIMILÉS NE SONT PAS ACCEPTÉS. COUPONS ORIGINAUX SEULEMENT.

Allouez de 3 à 6 semaines pour la livraison.

* En plus du catalogue, je recevrai un livre au choix du département de l'expédition.

† Pour les résidants du Canada et des États-Unis seulement. Un cadeau par achat de livre et par adresse postale.

Coupon de commande au verso

_____ Le bonheur, c'est si simple _____

Votre nom:...

....

Adresse:..

....

Ville:..

Province/État:.....................................

Pays:..

Code postal:.......................................

Âge:...